Trop facile, la magie !

de Claire Laurens

illustrations Soledad Bravi

ACTES SUD JUNIOR

la carte secrète

Il te faut : **1 jeu de 32 cartes.**

❶ Avant de commencer ton tour, regarde la dernière carte du jeu (celle qui se trouve sous le paquet) et retiens-la bien : c'est la carte qui va te servir de repère.

un coup d'œil sur la dernière carte

Mesdames, Messieurs, puis-je vous présenter un tour de cartes ?

Choisissez une carte parmi ces 32 que je tiens difficilement dans mes mains, va falloir que je m'entraîne car en plus ça fait mal aux doigts !

❷ Présente les cartes en éventail et propose à un spectateur d'en choisir une sans que tu la voies.

❸ Demande-lui de bien retenir la carte qu'il a choisie et de la placer sur le dessus du jeu.

❹ Demande-lui de couper le jeu en deux et de poser le tas du dessous sur celui du dessus.

❺ Reprends le paquet et retourne les cartes une par une en allant de la gauche vers la droite. La carte qui se trouve à droite de ta carte repère est forcément celle de ton spectateur !

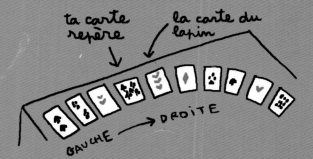

Et la pièce apparaît

Il te faut : **1 pièce de 1 euro
et 1 petite boîte d'allumettes vide.**

❶ Avant de faire ce tour, prépare-le
en coulisses, dans ta chambre par
exemple. Ouvre la boîte d'allumettes
vide et glisse une pièce entre
le tiroir et le fourreau.

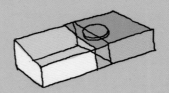

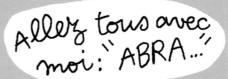

❷ Ta boîte a l'air vide. Montre-la
au public et annonce que tu vas
y faire apparaître une pièce.

cette bôite,
Mesdames
et Messieurs,
cette bôite
est totalement vide

❸ Demande au public de prononcer
la formule magique avec toi.
Au moment où tout le monde
crie «Abracadabra !», referme la
boîte d'un coup sec. À cet instant,
la pièce tombe dans la boîte.

ABRACADABRA BOM BOM BOM (bruits de tambour)

❹ Fais encore quelques passes magiques au-dessus de la boîte. Puis agite-la à côté de ton oreille. Surprise : on entend qu'il y a quelque chose à l'intérieur.

❺ Ouvre la boîte et montre au public qu'il y a bien une pièce dedans !

une pièce en or, Messieurs Mesdames...

FANTASTIQUE CLAP CLAP

la chemise du capitaine

Il te faut : **1 feuille rectangulaire pour faire ton bateau et 1 paire de ciseaux.**

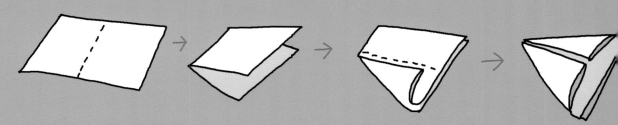

❶ Prends une feuille A4. Plie-la en deux.
Le côté plié doit se trouver vers le haut.
Rabats les coins vers le centre.

❷ Replie la bande du bas
vers le haut, puis rabats les coins.
Fais la même chose de l'autre côté.
Tu dois obtenir un triangle.

❸ Ouvre ton pliage en mettant
tes pouces à l'intérieur.
Pose les pointes l'une sur l'autre
pour former un losange.

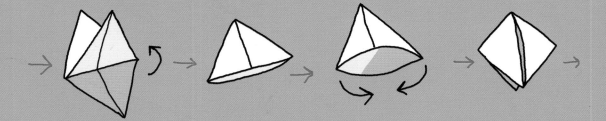

❹ Replie la pointe du losange
vers le haut. Fais pareil de l'autre côté.

❺ Ouvre à nouveau ton pliage
et pose les pointes l'une sur l'autre
pour qu'il forme un losange.

❻ Tire les pointes de chaque côté.
Lisse ton bateau bien à plat,
puis glisse les doigts sous la voile
pour lui donner sa forme.

maintenant
que j'ai
mon bateau,
je peux
commencer
mon
tour ...

Et maintenant, le tour !

❶ Raconte la petite histoire que voici en tenant ton bateau à la main. Apprends-la par cœur pour être prêt(e) à découper les morceaux du bateau aux bons moments.

COVIC

❷ À ce moment de l'histoire, coupe l'avant du bateau.

... Déséquilibré, le bateau ne résiste pas à une vague qui le projette sur un rocher et l'arrière se casse.

NON

SCROTCH

❸ Coupe l'arrière du bateau.

Sans proue, ni poupe, le bateau dérive; le mât finit par céder...

CRAC

le bateau s'enfonce dans les profondeurs...

❹ Coupe le mât.

On ne retrouva aucune trace du capitaine... Sauf...

... Sa chemise flottant sur les flots!

BRAVO CLAP CLAP

❺ Déplie ton bateau et fais apparaître la chemise du capitaine!

L'élastique fantastique

Il te faut : **1 grosse ficelle de 1 mètre environ et 1 élastique.**

Mesdames et messieurs, ce lapin, ici présent, va nouer un bout de cette corde à mon poignet droit et l'autre bout à mon poignet gauche...

je vais faire passer cet élastique autour de cette corde.

MAIS C'EST IMPOSSIBLE

❶ Demande à un spectateur de nouer la corde à tes poignets.

❷ Montre l'élastique et annonce que tu vas le faire passer autour de la corde.

❸ Enjambe la corde pour la faire passer derrière toi.

et voilà, Mesdames et Messieurs, l'élastique fantastique !

Mais, comment fais-tu ?

❹ Dès que tes mains sont cachées dans ton dos, glisse l'élastique à ton poignet. Fais-le passer sous la corde. Puis enlève-le de ton poignet en le faisant passer par-dessus la corde. L'élastique se retrouve automatiquement autour de la corde !

❺ Tu peux maintenant faire repasser la corde devant toi et la présenter au public : l'élastique y est suspendu.

les anneaux magiques

Il te faut : **3 longues bandes de papier (tu peux les découper dans du papier cadeau), 1 paire de ciseaux et du ruban adhésif.**

❶ Prépare tes 3 anneaux à l'avance :

– Pour le premier, colle ton papier normalement.

– Pour le deuxième, fais faire un demi-tour à la bande de papier avant de refermer l'anneau.

– Pour le troisième, fais un tour complet.

Si ton papier est blanc d'un côté, tes 3 anneaux doivent ressembler à ceci.

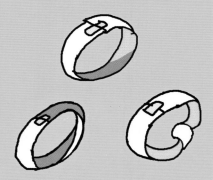

❷ Ton tour peut commencer. Annonce au public que tu vas découper ces anneaux. Tu peux ajouter : « Mais je ne sais pas ce que ça va donner : ces anneaux sont magiques et ils n'en font qu'à leur tête ! »

❸ Prends le premier anneau
et pince-le pour commencer
à le découper au milieu.

❹ Finis de le découper
dans le sens de la longueur :
à la fin, tu obtiens deux anneaux
identiques. Montre-les à ton public.

❺ Fais la même chose
avec le deuxième anneau.
Cette fois, surprise : tu n'obtiens
pas deux anneaux identiques,
mais un seul, deux fois plus grand !

❻ Enfin, découpe le dernier.
C'est le clou de ton spectacle car,
cette fois, tu obtiens deux anneaux
pris l'un dans l'autre !

le mystère des crayons

Il te faut : **5 crayons de couleurs bien différentes.**
Par exemple rouge, bleu, vert, jaune et orange.

❶ Tends les crayons de couleur
à un spectateur et demande-lui
de les cacher derrière son dos.

❷ Tourne-lui le dos, et demande-lui
de choisir un crayon puis de le placer
dans tes mains. Il doit continuer
à cacher les autres crayons.

❸ Retourne-toi et fais mine d'essayer de lire dans ses pensées. Pendant ce temps, fais discrètement une marque de couleur sur l'ongle de ton pouce.

concentration intense

reprends ce crayon et mélange-le aux autres.

❹ Tourne le dos à nouveau. Demande au spectateur de reprendre le crayon, de le mélanger aux autres et de disposer les 5 crayons dans ta main.

❺ Retourne-toi et lève les crayons devant toi, au niveau de ton visage. Profites-en pour regarder discrètement le trait de ton ongle : tu peux maintenant annoncer la couleur du crayon !

Mesdames et Messieurs, sans l'ombre d'un doute... C'est le vert !

TROP FORTE !

CLAP CLAP

le nombre magique

Il te faut : **1 enveloppe et 1 feuille de papier.**

❶ Avant de commencer ton tour, écris le chiffre 5 sur un papier et glisse-le dans l'enveloppe.

Mesdames et Messieurs, je connais l'avenir et je vais vous le prouver ...

❷ Annonce que tes pouvoirs magiques te permettent de connaître l'avenir.

pense à un nombre entre 1 et 10...

euh... 3 !

ajoute le nombre qui suit ...

❸ Demande à un spectateur de choisir un nombre entre 1 et 10 et de faire toutes les opérations qui suivent. Quel que soit le nombre qu'il a choisi, il tombera sur 5 !

euh 4 ... 4+3 = 7

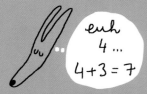

❹

Entraîne-toi à bien retenir les opérations :
nombre choisi + nombre suivant + 9 - la moitié du total - nombre choisi = 5

les 4 as

Il te faut : **1 table et 1 jeu de 32 cartes.**

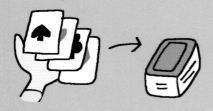

❶ Avant de commencer ton tour, prépare le jeu de cartes en coulisses. Tu dois placer les 4 as sur le dessus du jeu. Jusqu'à la fin du tour, on ne doit voir que le dos des cartes.

cher ami, vous distribuez ce paquet en deux piles, carte par carte.

❷ Demande à un spectateur de prendre le paquet de cartes et de le distribuer en deux tas.

❸ Grâce à cette distribution, tes 4 as se retrouvent dessous : 2 as sous chaque paquet.

vous reprenez, mon ami, chaque paquet, et vous les distribuez en deux piles.

ok!

❹ Demande-lui de redistribuer chaque paquet en deux.

il est temps que vous retourniez la première carte de chaque pile...

❺ Grâce à ces opérations, il y a maintenant un as sur chaque pile de cartes !

❻ Propose-lui de retourner la première carte de chaque paquet et savoure ton triomphe.

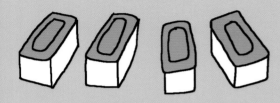

c'est qui la plus forte ...

encore un as!

tu peux le refaire s'il te plaît?

non, je ne refais jamais deux fois mes tours...

Attention : ne fais jamais ce tour deux fois de suite, on comprendrait que tu truques le jeu !

les allumettes fantômes

Il te faut : **1 petite boîte d'allumettes pleine,
2 petites boîtes d'allumettes vides et 1 élastique.**

et je remets ma manche par-dessus.

Mesdames et messieurs, voici deux boîtes d'allumettes identiques... l'une est pleine, l'autre est vide.

❶ Avant de commencer,
cache la boîte d'allumettes pleine
sous ta manche gauche et fixe-la
à ton poignet avec un élastique.

❷ Présente les deux autres boîtes
en annonçant que l'une est pleine,
et l'autre vide. Pour le prouver, secoue
la « vide » avec ta main droite, puis
la « pleine » avec ta main gauche.
Le public te croit car on entend les
allumettes cachées dans ta manche.

❸ Pose les boîtes sur la table et mélange-les en les faisant glisser.

❹ Demande à un spectateur de te montrer la boîte pleine.

❺ Évidemment, il a tort. Pour lui prouver, secoue la boîte qu'il a désignée avec ta main droite : on n'entend rien.

❻ Mélange à nouveau les boîtes pour qu'il essaie encore. Il n'y arrivera jamais !

Marteau rouge

Il te faut : **1 papier et 1 enveloppe.**

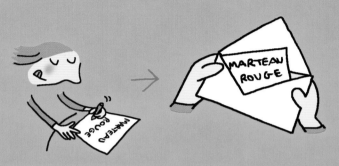

❶ Avant de commencer ton tour,
écris sur un papier : « MARTEAU ROUGE ».
Glisse-le dans une enveloppe et pose
l'enveloppe fermée sur la table.

❷ Demande à un spectateur de te donner très vite le nom d'un outil
et celui d'une couleur.

❸ Neuf fois sur dix, la personne va dire «Marteau rouge», parce que ce sont les premiers mots qui viennent à l'esprit quand on parle d'outil ou de couleur.

Attention : ce tour ne peut pas marcher à tous les coups, si tu tombes sur quelqu'un qui répond «tournevis bleu» ou «scie verte», remercie-le et pose la question à quelqu'un d'autre.

❹ Dis-lui alors d'ouvrir l'enveloppe !

les rouges et les noires

Il te faut : **1 jeu de 32 cartes.**

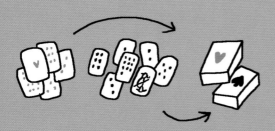

Piochez une carte mon ami

cartes rouges

❶ Avant de faire ton tour, prépare le jeu en séparant les cartes rouges et les cartes noires pour que les unes soient au-dessus du paquet et les autres en dessous.

❷ Présente le jeu en éventail en n'ouvrant qu'un côté de sorte que ton spectateur ne puisse piocher que dans les cartes rouges.

Remettez, cher lapin, la carte dans le jeu.

← cartes noires

❸ Pendant qu'il la regarde, referme le jeu et remets-le en éventail, mais en présentant cette fois les cartes noires. Demande-lui de remettre sa carte dans le jeu. Referme le jeu.

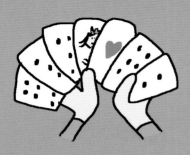

❹ Puis regarde le jeu, sans le montrer au public. Tu vois tout de suite
la carte rouge au milieu des noires. Retiens-la puis mélange bien le jeu.

❺ Propose au spectateur de couper…

❻ Il ne te reste plus qu'à retourner
les cartes et à désigner celle
qu'il avait piochée !

lire dans les pensées

Il te faut : **5 morceaux de papier et 1 stylo.**

❶ Avant ton tour, prépare 5 morceaux de papier sur lesquels tu écris les chiffres de 1 à 5. Cache-les dans différents endroits. Retiens bien où ils sont.

2 Tu peux commencer !
Demande à quelqu'un de choisir
un chiffre entre 1 et 5.

3 Fais mine de savoir quel chiffre
il a choisi. Demande-lui de le dire
à voix haute.

4 Tu n'as plus qu'à aller chercher
le papier correspondant.

Attention : ne fais pas ce tour
deux fois de suite !

Éditrice : Isabelle Péhourticq assistée de Marine Tasso
Direction artistique : Guillaume Berga
© Actes Sud, 2012 – ISBN 978-2-330-00909-0
Loi 49-956 du 16 juillet 1949 sur les publications destinées à la jeunesse.
Reproduit et achevé d'imprimer en mai 2012 par l'imprimerie Pollina - L60717
pour le compte des éditions ACTES SUD, Le Méjan, Place Nina-Berberova, 13200 Arles
Dépôt légal 1re édition : juin 2012 - Imprimé en France